Je suis riche !

Angèle Delaunois

Philippe Beha

Parfois, je boude.

Je regarde mes petits trésors
et je les trouve vieux et laids.

La robe de ma poupée est déchirée.
Mon ourson perd ses poils.

Mes amis ont des jouets
bien plus beaux que les miens.

Je me sens tellement pauvre à côté d'eux.

Pourtant...

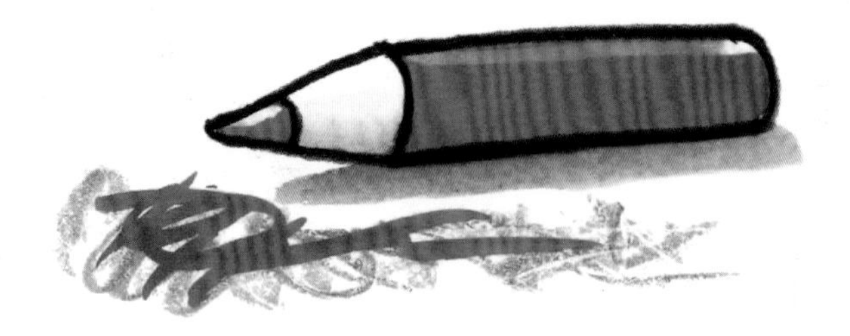

Je suis riche
parce que je vis dans une maison,
avec un petit coin bien à moi
où je peux jouer, dormir et rêver
sans qu'on me dérange.

Je suis riche
parce que j'ai une famille,
comme un beau nuage d'amour autour de moi.

Grâce à elle,
je ne connais ni la solitude,
ni l'abandon.

Je suis riche
parce que j'ai des amis pour jouer,
inventer des histoires,
partager mes secrets
et mes projets.

Je suis riche
parce qu'il y a toujours quelqu'un
pour me rassurer
lorsque je suis malade
et pour soigner mes petits
ou mes grands bobos.

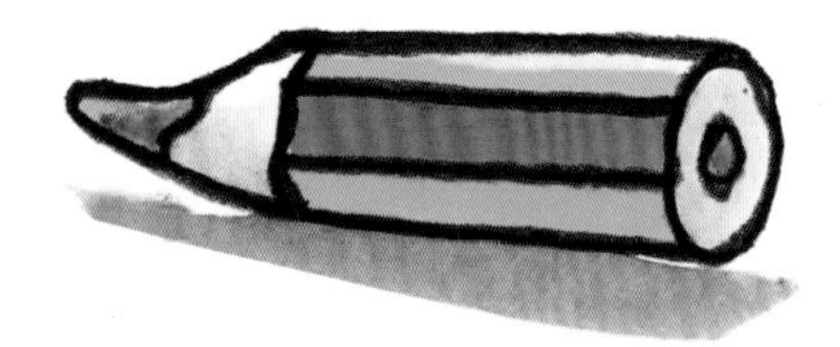

Je suis riche
parce que je mange trois fois par jour,
un grand arc-en-ciel d'aliments
dont certains arrivent
de l'autre bout du monde.

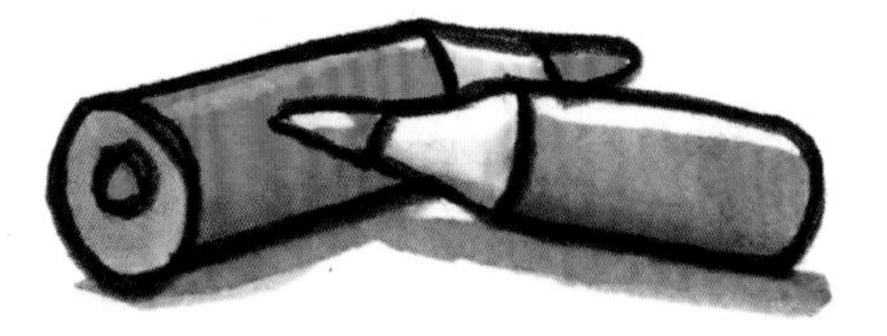

Je suis riche parce qu'ici,
l'eau qui coule du robinet est propre.
Je peux la boire,
me laver ou me baigner dedans
sans avoir peur d'être malade.

Je suis riche
parce que je vais dans une école
où les enseignants et les livres
sont comme des coffres aux trésors
qui s'ouvrent pour moi.
Et ici, tous les garçons et les filles
ont le droit d'apprendre
sans que personne ne les en empêche.

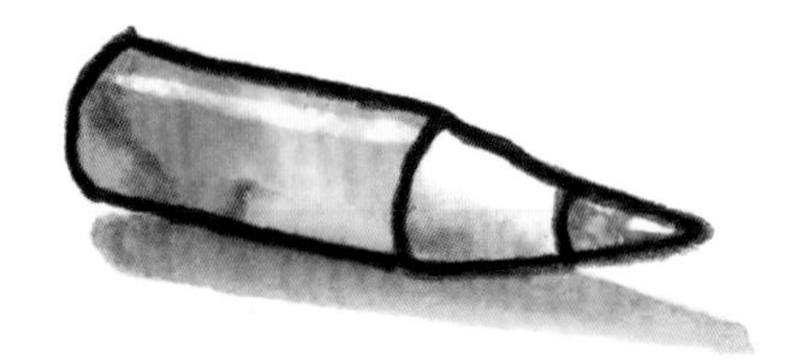

A
3
B
6

Je suis riche
parce que je vis dans la paix et la sécurité,
sans avoir peur de la guerre et des bombes,
sans être obligée de quitter ma maison
et ne pas savoir où aller.

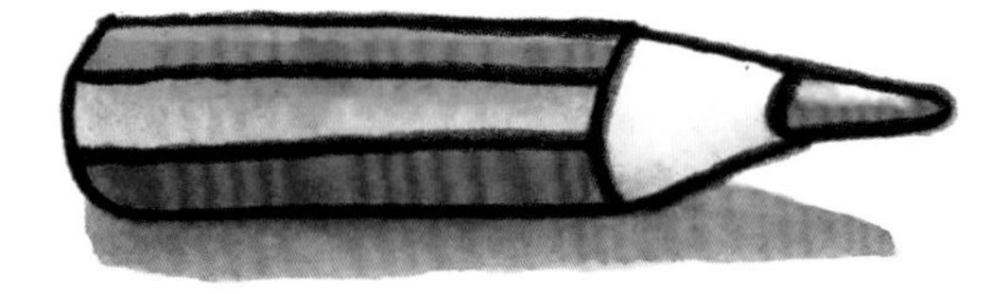

Je suis riche
parce que mon pays est très beau
et que je peux apprendre
l'histoire de ceux qui l'ont construit.
Grâce à eux,
je sais d'où je viens et qui je suis.

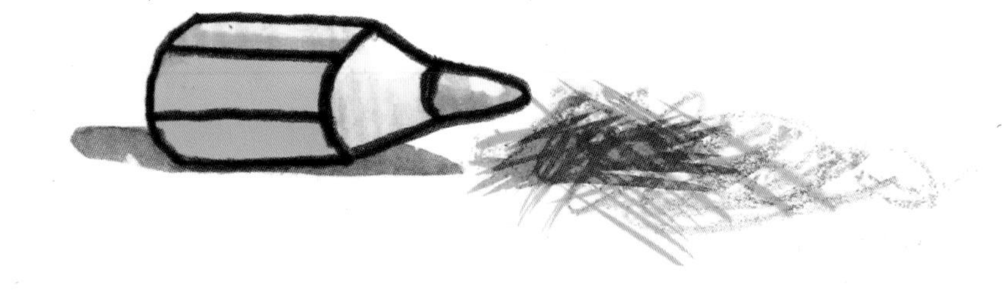

Alors, quand je pense à tout cela,
ce n'est pas si grave
si ma poupée est moche,
si mon ourson perd ses poils,
si certains de mes amis
ont plus de choses que moi...
Parce que, tout comme toi,
JE SUIS RICHE!

Direction éditoriale : Angèle Delaunois
Édition électronique : Hélène Meunier
Production : Rhéa Dufresne
Révision linguistique : Jocelyne Vézina

Dépôt légal : 4e trimestre 2013
Bibliothèque nationale du Québec
Bibliothèque nationale du Canada

Catalogage avant publication de Bibliothèque et Archives nationales
du Québec et Bibliothèque et Archives Canada

Édition imprimée : ISBN : 978-2-924309-00-1
Édition numérique : ISBN : 978-2-923818-95-5 (pdf)

Delaunois, Angèle
Je suis riche
(Tourne-pierre ; 37)
Pour enfants de 3 ans et plus.
I. Béha, Philippe. II. Titre. III. Collection : Tourne-pierre ; 37.
PS8557.E433J4 2013 jC843'.54 C2013-941207-7
PS9557.E433J4 2013

Nous remercions le Gouvernement du Québec – Programme de crédit d'impôt pour l'édition de livres – Gestion SODEC

Nous remercions le Conseil des Arts du Canada de l'aide accordée à notre programme de publication.

ÉDITIONS DE L'ISATIS
4829, avenue Victoria – Montréal – QC - H3W 2M9
www.editionsdelisatis.com
Imprimé au Canada
Distributeur au Canada : Diffusion du Livre Mirabel

Fiche d'activités pédagogiques téléchargeable gratuitement depuis le site www.editionsdelisatis.com